Christmut Präger (Text), Johannes Hahn (Fotos)

Mannheim

Auf den ersten Blick

deutsch/english/français

Wartberg Verlag

Fotonachweis: Johannes Hahn
1. Auflage 2000
Alle Rechte vorbehalten, auch die des auszugsweisen Nachdrucks
und der fotomechanischen Wiedergabe.
Druck: Bernecker, Melsungen
Buchbinderische Verarbeitung: Büge, Celle
© Wartberg Verlag GmbH
34281 Gudensberg-Gleichen, Im Wiesental 1, Tel. 0 56 03/9 30 50
ISBN 3-86134-609-5

Vorwort

Der erste Eindruck einer Stadt ist oft der entscheidende. Der Fotograf Johannes Hahn hat Mannheim auf den „ersten Blick" erlebt und zum Bildband zusammengefaßt. So zeigt die Auswahl der zusammengetragenen Bilder nicht das „ganze" Mannheim, sondern einige wichtige Aspekte einer liebenswerten Stadt.

Das Buch lädt den Betrachter zum Spaziergang durch die Stadt ein. Es möchte dabei Fremde neugierig machen auf Mannheim, Besuchern eine Erinnerung mitgeben und Mannheimern die Sonnenseite ihrer Stadt zeigen.

Der Mitteltrakt des Mannheimer Schlosses mit dem Treppenhausvorbau wurde in den Jahren 1720 bis 1725 errichtet.

The central part of the castle with its steps was built in the years 1720-1725.

La partie centrale du château avec les escaliers fut construite pendant les années 1720-1725.

Der Wasserturm, das Wahrzeichen Mannheims, wurde nach Plänen von Gustav Halmhuber erbaut, und 1889 vollendet.

The water tower, completed in 1889. Gustav Halmhuber designed this landmark of Mannheim.

Le château d'eau, l'emblème de Mannheim, fut désigné par Gustav Halmhuber et accompli en 1889.

Blick vom Rheinufer über die Stadt, im Hintergund die Hügelkette des Odenwaldes.

View from the bank of the river Rhine over the town. In the background the range of hills of the Odenwald.

Vue de la rive du Rhin sur la ville, au fond les collines du
Odenwald.

Wasserspiele des Tritonenbrunnens und des Friedrichsplatzes am Wasserturm.

Waterworks at Tritonenbrunnen and at water tower on
the Friedrichsplatz

Jeux d'eau au Tritonenbrunnen et au Friedrichsplatz près
du château d'eau.

Detail an der Fassade der Kunsthalle; Blick auf das
große Bassin des Friedrichsplatzes.

Detail at the frontage of the art gallery. View on the large
basin at Friedrichsplatz.

Détail de la façade de la galerie d'art. Vue sur le grand
bassin du Friedrichsplatz.

Die Mannheimer Kunsthalle entstand nach Entwürfen des Karlsruher Architekten Hermann Billing. Sie ist weithin für ihre bedeutende Sammlung moderner Kunst bekannt.

The architect Hermann Billing from Karlsruhe designed the art gallery. The gallery is famous because of its important collection of modern art.

La galerie d'art fut désignée par l'architecte Hermann Billing de Karlsruhe. La galerie d'art de Mannheim est bien fameuse à cause de sa collection importante de l'art moderne.

13

Foto links: Der Erzengel Michael von Wilhelm Gerstel über der Kuppel der Christuskirche.

Left: The archangel Michael by Wilhelm Gerstel above the dome of the Christuskirche.

A gauche: L'archange Michel de Wilhelm Gerstel au dessus du dôme de la Christuskirche.

Foto oben: Das Denkmal des Intendanten, der den Ruf des Mannheimer Nationaltheaters begründete: Wolfgang Heribert von Dalberg in N 3.

Top: The monument for the artistic director Wolfgang Heribert von Dalberg, who made the Mannheimer Nationaltheater famous.

En haut: Monument pour Wolfgang Heribert von Dalberg, administrateur qui fut l'origine de la réputation du Nationaltheater.

15

Fotos links: Die Architektur des ab 1935 erbauten Rathauses in E 5 zeigt deutliche Anklänge an die Bauten des Klassizismus.

Left: In 1935 the construction of the town hall in E 5 started. Its architecture is reminiscent of classicism.

A gauche: L'hôtel de ville à E 5 fut construit pendant les années trente et porte des réminiscences du classicisme.

Foto oben rechts: Die bronzene „Pyramide" des Bildhauers Gabriel Grupello aus der Zeit um 1716 hat heute wieder die Form einer aufwendigen Brunnenanlage.

Above right: The bronze „pyramid", a splendid fountain installation, erected by the sculptor Gabriel Grupello around 1716.

A droite en haut: La „pyramide" en bronze du sculpteur Gabriel Grupello – environ 1716 – a récupéré la forme d'une installation de fontaine splendide.

16

Foto S. 18/19: Blick über die Stadt in Richtung Odenwald mit Sternwarte. Konkordienkirche und Jesuitenkirche.

Photo pages 18/19: View over the town to the observatory, Konkordienkirche and Jesuitenkirche.

Photo au pages 18/19: Vue sur la ville au forêt Odenwald – l'observatoire, Konkordienkirche et Jesuitenkirche.

Marktstände während eines Markttages auf dem Marktplatz. In der linken Hälfte des Doppelgebäudes mit Mittelturm befand sich früher die Stadtverwaltung (heute Standesamt), im rechten Teil befindet sich bis heute die Untere Pfarrkirche. Das Monument in der Mitte des Marktplatzes zeigt die Figuren des Merkur und der Stadtgöttin sowie die Flußgötter des Rheins und des Neckars.

Marked stalls on the marketplace. In former times the left part of the twin building with central tower was the seat of the municipal authorities and is today the seat of the registrar. The right part is the Untere Pfarrkirche. The monument in the centre of the marketplace shows the figures of Mercury and of the tutelary goddess of Mannheim as well as the personifications of the river Rhine and the river Neckar.

Des étaux du marché. Dans la part gauche du bâtiment double avec sa tour au milieu se trouvait l'administration municipal, aujourd'hui c'est le siège du bureau de l'état civil. La part droite est La Untere Pfarrkirche (l'église de paroisse). Les figures du monument au milieu de la place représentent Mercure et la déesse tutélaire de la vielle ainsi que les dieux du Rhin et du Neckar.

Foto links: Atlanten-Portal des Alten Rathauses.

Left: Atlanten-Portal at the old town hall.

A gauche: Atlanten-Portal de l'ancien hôtel de ville.

Foto oben: Der Leierkastenmann weckt Erinnerungen an die Vergangenheit.

Top: The hurdy-gurdy man near the marketplace reminds of bygone times.

En haut: Le joueur d'orgue de Barbarie rappelle les temps passés.

23

Die ehemalige Hauptfeuerwache wurde in den 70er Jahren zu einer Stätte für kulturelle Veranstaltungen. Heute befindet sich hier auch das Städtische Kulturamt.

In the seventies the former main fire station was changed into an arts and leisure centre. Today it is the seat of the municipal art department, too.

L'ancienne caserne centrale des pompiers fut transformée dans un lieu pour des événements culturels pendant les années soixante-dix. Aujourd'hui c'est le siège du bureau culturel de la ville.

Foto links oben: Schwanenparadies an einem Neckar-Anleger.

Above left: Swan paradise near a river Neckar jetty.

En haut à gauche: Paradis des cygnes à coté d'une embarcadère du Neckar.

Foto links unten: Anläßlich der 1975 in Mannheim stattfindenden Bundesgartenschau wurde der Herzogenriedpark im Norden der Stadt zu einem Naherholungsgebiet umgestaltet, hier ist die „Konzertmuschel" zu sehen.

Below left: In 1979 the Bundesgartenschau (national garden fair) took place in Mannheim. On that occasion the Herzogenriedpark was changed into a nearby recreational area. Here the bandstand shaped like a shell.

En bas à gauche: A l'occasion de la foire jardinière en 1975 le Herzogenriedpark au nord de la ville fut transformé en terrain de récréation. Ici le pavillon de la musique avec sa forme du coquillage.

Foto oben: Mannheims Tor zum Weltall, das Planetarium in der Nähe des Landesmuseums für Technik und Arbeit, wurde 1984 eröffnet.

Top: The space access of Mannheim: The planetarium near the museum for technology and work was opened in 1984.

En haut: L'accès au espace: Le planétarium près du musée de la technologie et des travaux fut ouvert en 1984.

Fotos S. 28/29: Vor der Adenauer- und der Riedbahnbrücke ankert das Museumsschiff, das als Außenstation des Landesmuseums für Technik und Arbeit — eröffnet 1990 — betrieben wird.

Photos on pages 28/29: This ship is anchored near Adenauerbrücke and is used as a department of the museum of technology and work. It was opened in 1990.

Photos au pages 28/29: Près du Adenauerbrücke (pont d'Adenauer) mouille un bateau qui sert comme dépendance du musée de la technologie et des travaux ouvert en 1990.

Foto links: Blick über Boote der „Gondoletta" zum Fernmeldeturm.

Left: View over the „Gondoletta" boats to the telecommunications tower.

A gauche: Vue sur les bateaux de la „Gondoletta" – la tour de télévision.

Fotos oben und rechts: Das zweite Erholungsgebiet Mannheims, der Luisenpark. Sommerliche Freuden am Wasserspielplatz. Auch im Luisenpark gibt es moderne Kunst, wie zum Beispiel den „Sonnengott" von Laszlo Szabo.

Top and right: The Luisenpark is the second nearby recreation area of Mannheim. Summer's pleasure at the water playground. Modern art in the Luisenpark: „sun god" of Laszlo Szabo.

En haut et à droite: Le deuxième terrain de recréation – le Luisenpark. Plaisir d'été au jeux d'eau. Au Luisenpark ont peut aussi admirer l'art moderne. Ici le „Sonnengott" (dieu du soleil) de Laszlo Szabo.

31

Weitere Bücher aus dem Wartberg Verlag

Johannes Hahn, Christmut Präger

Mannheim

72 Seiten, geb., zahlreiche Farbfotos

deutsch/english/francais

(ISBN 3-86134-601-X)

Eugen Sauter

Landleben in den 50er Jahren

64 Seiten, geb., Großformat,
Farbfotos

(ISBN 3-86134-316-9)

Klaus Meier-Ude, Fred Kickhefel

Kindheit in der Stadt in den 50er Jahren

Murmelspiel, Gummitwist, Lederhosen und Zöpfe, wer erinnert sich nicht an diese Relikte aus seiner Kindheit?

64 Seiten, geb., Großformat,
zahlreiche S/w-Fotos

(ISBN 3-86134-315-0)

Sabine Schumacher

Freizeitführer Rhein-Neckar

72 Seiten, geb., zahlreiche Farbfotos

1000 Freizeittips, Ausflugsziele,
Sehenswürdigkeiten
und Veranstaltungen

192 Seiten, zahlreiche Abbildungen

(ISBN 3-86134-552-8)

Martin Walter

Aus alter Arbeitszeit im Badischen

64 Seiten, geb., Großformat,
zahlreiche S/w-Fotos

(ISBN 3-86134-286-3)

Georg Eurich

Aus alter Arbeitszeit

Bäuerliche Berufs- und Lebensbilder
1948-1958

Historische Fotografien, 80 Seiten,
geb., Großformat,
zahlreiche S/w-Fotos

(ISBN 3-925277-34-X)

Wartberg Verlag

34281 Gudensberg-Gleichen, Im Wiesental 1,
Tel.: (0 56 03) 9 30 50 Fax: (0 56 03) 30 83